ESTADOS UNIDOS

DE AMÉRICA

PATRIMONIO MUNDIAL DE **MÉXICO**

CENTRO HISTÓRICO DE OAXACA Y ZONA ARQUEOLÓGICA DE MONTE ALBÁN

4

EDICIONES san marcos

La iglesia y el antiguo convento de San José, situados a un costado de la plaza de la Danza, con un patio interior de doble planta y una fuente en su centro, albergan la Escuela de Bellas Artes de Oaxaca.

Editado por *Ediciones San Marcos*
Madrid 2005

Una promoción de
Planeta Marketing Institucional, S.A.

Directora Editorial	*Margarita Méndez de Vigo*
Producción	*Diego Blas*
Documentación Fotográfica	*Luis Blas y Teresa Solana*
Diseño	*Alberto Caffaratto*
Impresión y encuadernación	*Gráficas Jomagar,* Madrid
I.S.B.N.	84-89127-54-9
Depósito legal	M-28451-2005

EXIGIMOS
CROC

LA CIUDAD DE OAXACA DE JUÁREZ es una de las ciudades coloniales más bellas de México. Situada a 1.694 metros de altitud en la confluencia de tres hermosos valles que se adentran en las tierras montañosas de la Sierra Madre Occidental y de la Sierra Madre del Sur, la población goza de unas excelentes condiciones climáticas, caracterizadas por veranos no muy calurosos e inviernos con noches no muy frías. En 1521 el español Pedro de Alvarado fundó la ciudad en un anti-

Después de la catedral, el edificio religioso más singular de Oaxaca es la iglesia de Santo Domingo de Guzmán, en la que su sobria portada de 26 metros de altura aparece flanqueada por dos torres-campanario de 35 metros de alto, con sus cúpulas recubiertas de azulejos. A la derecha, una de las vidrieras de la catedral.

guo emplazamiento zapoteca. En torno a una Plaza Mayor, el actual Zócalo, Alonso García Bravo, que había realizado los primeros planos de Ciudad de México, diseñó la nueva ciudad utilizando el mismo esquema en damero que había puesto en marcha en la urbe nacida sobre las ruinas de Tenochtitlán. Entre los títulos que recibió Hernán Cortés del rey español Carlos I estaba el de Marqués del Valle de Oaxaca, aunque no se conoce que Cortés visitara nunca el valle.

Vista desde lejos la ciudad aparece dominada por las cúpulas de sus iglesias. Casi una treintena de edificios religiosos salpican el casco urbano dominados por la catedral, que se alza en medio del centro histórico.

El Zócalo o Plaza de la Constitución representa el corazón de la ciudad de Oaxaca. Rodeada de soportales ocupados por numerosas cafeterías y restaurantes, la presencia de mariachis y vendedores ambulantes se ha convertido en algo habitual.

El Zócalo y la catedral

La Plaza Mayor existe desde que en 1529 fuera trazada por Juan Peláez de Berrio. Posteriormente Alonso García Bravo la utilizó como referencia para el trazado que hizo de la que inicialmente se denominaría Villa de Antequera. La primera fuente de mármol que se erigió en el centro de la plaza en 1739 fue reem-

La basílica de la Soledad posee una original portada en forma de biombo encuadrada por dos sencillas torres-campanario. El relieve central representa a la Virgen de la Soledad, patrona de la ciudad de Oaxaca.

plazada, y tras varias remodelaciones se llegó a su aspecto actual con la presencia de un quiosco situado en el centro de la plaza levantado en 1901. Conocida también como Plaza de la Constitución, se sitúa entre las calles Hidalgo, Trujado, Flores Magón y Bustamante.

El Zócalo, cubierto por frondosos árboles, aparece encuadrado en el lado este por los soportales Benito Juárez, en el lado sur por los soportales de Mercaderes o del Palacio, en el lado oeste por los de Flores, y en el lado norte por los soportales de Claverías. Es bajo estos soportales donde bulle la ciudad, dentro de sus cafeterías y restaurantes, con la presencia de mariachis o de vendedores ambulantes y, siempre, con un denominador común, la afluencia de un enorme gentío a lo largo de todas las horas del día.

En el noroeste del Zócalo se abre la Alameda de León, un amplio espacio abierto situado al sur de la catedral que amplía el núcleo vivo de Oaxaca y en el que no faltan los vendedores ambulantes que te ofrecen desde libros hasta sabrosas golosinas. Una escultura de Antonio de León, general jefe del ejército de Santa Ana y natural de esta ciudad, preside y da nombre al parque.

La catedral de Oaxaca, situada en la avenida de la Independencia, no se abre, como sucede en la mayoría de las ciudades coloniales, a la Plaza Mayor o Zócalo, aunque sí lo hace sobre la cercana Alameda. Fundada en 1535 ha sido reconstruida en diversas ocasiones para reparar los daños producidos por varios movimientos sísmicos.

Su actual fachada fue levantada entre 1702 y 1728. Compuesta por tres cuerpos, en la parte central del segundo

El templo del Carmen Bajo (arriba) es una reconstrucción de una primera ermita que fue arrasada por un incendio en1862. En él destaca la torre de base cuadrangular con un campanario octogonal de dos niveles. A la derecha, los soportales del Palacio de Gobierno en el Zócalo.

❑ CENTRO HISTÓRICO DE OAXACA Y ZONA ARQUEOLÓGICA DE MONTE ALBÁN ❑

- **Declaración Patrimonio Mundial:** año 1987.
- **Localización:** Oaxaca, capital del Estado del mismo nombre, se encuentra situada a una altitud de 1.694 m, en la confluencia de tres amplios valles, a 530 kilómetros al sureste de Ciudad de México y a 260 kilómetros de Puerto Escondido; en los 17° 6′ de latitud norte y los 96° 35′ de longitud oeste.
- **Cómo acceder:** a 8 kilómetros al sur de la ciudad se encuentra el aeropuerto internacional Xoxocotlán. Desde Ciudad de México se accede a través de las carreteras 150 y 135.
- **Otros lugares de interés:**

Huayapán: a 9 km de Oaxaca, con el templo de San Andrés, donde se encuentra uno de los retablos barrocos en madera más bellos del país.

Dainzú: a 22,5 km de Oaxaca. Se trata de una pequeña zona arqueológica zapoteca contemporánea de Monte Albán, cuyo nombre significa "cerro de órganos" en referencia a la abundancia de esa cactácea. Posee un juego de pelota y cuatro grandes edificios.

Cuilapán de Guerrero: a 12 km de Oaxaca. En esta población los dominicos decidieron construir el mayor edificio religioso de Nueva España. Sus obras comenzaron en 1555 pero los trabajos se suspendieron en 1560 y, a pesar de diferentes intentos, nunca se pudieron continuar. Hoy permanece en pie un gran conjunto arquitectónico sin concluir, con una capilla abierta de planta basilical en la que dos hileras de gruesas columnas separan las tres naves. Al claustro se abren las dependencias monacales como la cocina, el refectorio, la sala de oraciones y la sala capitular, que sirvió de prisión al general Vicente Guerrero poco antes de ser fusilado. En el piso superior, ocupado por las antiguas habitaciones de los frailes, se sitúa hoy un centro de estudios históricos.

Tlacochahuaya: a 21 km de Oaxaca. Aquí se alza el templo y antiguo convento de San Jerónimo, construido por los dominicos a finales del siglo XVI y principios del XVII. El atrio aún conserva la cruz y las capillas "posas". El interior destaca por sus frescos pintados por artistas indígenas. En él vivió durante 25 años fray Juan de Córdoba, que escribió el primer diccionario zapoteca.

Arriba, pasillo en el interior de la catedral, definido por dos barandillas de hierro, que une el coro con el altar mayor.

aparece un bello relieve de Nuestra Señora de la Asunción, a quién está dedicado el templo. Dos torres con zócalo enmarcan la portada. En la torre sur existe un reloj donado por el rey de España en 1752 que estuvo anteriormente emplazado en la catedral de Venecia.

Su interior es de planta basilical orientada de oeste a este. En el vestíbulo de la entrada principal se encuentra el altar del Perdón, y en el primer tramo de la nave central se sitúa el coro, a los pies de un monumental órgano del siglo XVII fabricado en Alemania. De este coro, que cuenta con 65 sitiales de madera, sale un pasillo marcado por dos barandillas de hierro que conducen al altar mayor, detrás del cual se sitúa la entrada que lleva a la cripta, donde se encuentran enterrados los obispos. Las naves laterales se abren a trece capillas y a la sacristía.

En la parte sur del Zócalo, en las calles Bustamante y Guerrero se alza el Palacio del Gobierno, un edificio del siglo XIX de características renacentistas, levantado en el solar en el que durante muchos años existió un Cabildo. Todo el edificio se construyó con piedra de cantera de color verde. Su portada principal, que sobresale ligeramente del resto de la fachada, está orientada al norte, hacia la Plaza de la Constitución. Dos murales de Antonio García Bustos se encuentran en su interior. El primero, pintado en 1980 y situado en los muros de la escalera principal que conduce al piso superior, describe la historia de México en tres épocas: la prehispánica, la de la conquista y la de la independencia. El otro, realizado en 1987, se encuentra sobre la bóveda y muros de la escalera lateral representando la formación del Universo desde el punto de vista mítico de las culturas prehispánicas que habitaron en Oaxaca.

Entre los edificios civiles más significativos de la ciudad hay que destacar el Mercado Benito Juárez, ubicado al sur del Palacio de Gobierno, el Mercado 20 de Noviembre, siempre muy bullicioso, que funciona como un popular comedor, la antigua casona del Mayorazgo Lazo de la Vega, en la calle Macedonio Alcalá 202, que hoy ocupa el Museo de Arte Contemporáneo de Oaxaca, el hotel Camino Real, instalado en el antiguo convento de Santa

La portada de la iglesia de Santo Domingo es de tres cuerpos y en el segundo aparecen las figuras de santo Domingo y san Hipólito sosteniendo una iglesia sobre la que desciende el Espíritu Santo. El remate es el escudo de la orden dominica.

Catalina de Siena, en la calle 5 de Mayo, y el moderno teatro Macedonio Alcalá, construido entre 1903 y 1909, que lleva el nombre del conocido compositor oaxaqueño. Su arquitectura imita el estilo clásico parisino del siglo XIX, con una portada principal de tres puertas que forma un esquinazo entre la calle 5 de Mayo y la avenida de la Independencia, con sus dos fachadas simétricas, cada una dando a una calle. En su interior, de estilo rococó, sobresale una escalera de mármol.

El que fuera convento de Santa Catalina de Siena, fundado en 1568, a partir de las leyes de la Reforma de 1862 fue utilizado como cárcel y el templo y el atrio se transformaron en el Palacio Municipal. Arriba, dependencias municipales en un antiguo claustro del convento.

Las iglesias de Oaxaca

Después de la catedral, el edificio religioso más singular de Oaxaca es la iglesia de Santo Domingo de Guzmán, localizada en la calle Macedonio Alcalá. La construcción del templo y del convento comenzó en 1570 en un espacio que ocupaba veinticuatro solares. En 1612 se colocó el retablo mayor y en 1619 terminaron los trabajos del convento y de la huerta, que

más tarde se convertiría en un excelente jardín botánico. La sobriedad exterior de este templo barroco contrasta con la riqueza de sus interiores. La portada, con una altura de 26 metros, se encuentra flanqueada por dos torres-campanario de 35 metros de altura cuyas cúpulas aparecen recubiertas de azulejos. En la fachada, compuesta por tres cuerpos, aparecen en el segundo nivel las figuras de Santo Domingo y San Hipólito sosteniendo una iglesia sobre la que desciende el Espíritu Santo. El escudo de la orden dominica remata la portada.

Arriba, vista general de la ciudad de Oaxaca. A la derecha, la calle Macedonio Alcalá, vivienda característica de la arquitectura civil colonial, y la universidad Benito Juárez, en la avenida de la Independencia.

El templo cuenta con planta de cruz latina y en su interior se construyeron diez capillas. Entre ellas, en el lado derecho de la nave destaca la capilla del Rosario, cuya cúpula, en la que sobresale un relieve con la imagen de la Virgen, descansa sobre un tambor octogonal. La cubierta de la nave es de bóveda de cañón con arcos y todo a lo largo de su recorrido se observan medallones, óvalos y círculos en los que aparecen retratos de santos y de personajes bíblicos junto a motivos decorativos. La cúpula aparece decorada con una figura del árbol genealógico en yeso.

A la izquierda de la iglesia se sitúa el antiguo convento de Santo Domingo, actualmente conocido como Centro Cultural

A la izquierda, de arriba a abajo, patios interiores de la Biblioteca Pública Central, el templo de la Preciosa Sangre de Cristo, situado en la plaza del mismo nombre, y la casona del siglo XVIII *que alberga el Museo de Arte Contemporáneo de Oaxaca.*

Detalle de la cúpula de la capilla del Rosario situada a la derecha de la nave central del templo de Santo Domingo. Edificada en el siglo XVIII, en ella destaca un relieve con la figura de la Virgen situado en lo más alto de su bóveda.

Santo Domingo, que aloja el Museo de las Culturas de Oaxaca, en cuyos muros todavía pueden observarse restos de pinturas al fresco. Alberga interesantes colecciones de arqueología, historia y etnología zapoteca y mixteca. En particular hay que nombrar la extraordinaria colección de objetos que fueron encontrados en perfecto estado de conservación en la Tumba 7 de Monte Albán.

En el primer piso se ubica la biblioteca Fray Francisco de Burgos, situada en la capilla de la Tercera Orden con más de 23.000 volúmenes, entre ellos 11 incunables. La antigua huerta es hoy un jardín botánico en el que se cultivan 1.200 especies

Vista general desde la Plataforma Norte del complejo arqueológico de Monte Albán. A la izquierda, detalle ornamental de la tumba 104.

de plantas representativas de las siete áreas fitogeográficas del Estado de Oaxaca.

Otras iglesias y conventos son el templo y antiguo convento del Carmen del Alto, que perteneció a la orden religiosa de los carmelitas descalzos, situado en la calle García Vigil. En él destaca el pórtico, elemento característico de los templos carmelitas en México, que forma parte integral de la portada de tres cuerpos. El templo y antiguo convento de la Compañía de Jesús se localiza en las cercanías del Zócalo. Se singulariza por la forma quebrada y convexa de su portada de dos cuerpos en la que aparece la figura de San Ignacio de Loyola y que se remata por un frontón triangular. Este antiguo convento y colegio organizado en torno a cuatro patios rectangulares conserva su aspecto fortificado, lo que ha dado origen al sobrenombre de "Casa Fuerte" con el que se le conoce.

A la izquierda, el juego de pelota, situado en el lado oeste del yacimiento arqueológico, y estela del Sistema IV que se encuentra frente al juego de pelota. Arriba, restos de una vivienda junto a la tumba 103.

El también templo y antiguo convento de San Agustín se alza entre las calles Guerrero y Reforma. Su espectacular portada de estilo barroco fue realizada por el escultor Tomás de Sigüenza. Dividida horizontalmente en tres cuerpos, en el segundo aparece la figura de San Agustín. La fachada está rematada por un frontón con el emblema agustino. De planta de cruz latina, lo más significativo de su interior es el retablo mayor situado en el ábside, de estilo barroco salomónico en madera tallada y revestido con láminas doradas. La escultura principal que preside el centro del retablo es la de San Agustín.

San Felipe Neri, con su portada de estilo barroco de tres cuerpos, San Juan de Dios, de estilo neoclásico con una torre-campanario, La Merced, de una sola nave con capillas criptocolaterales, Nuestra Señora de Guadalupe, edificada en el lugar que ocupaba una ermita construida en 1664, San Francisco, cuya portada es la única en Oaxaca de estilo barroco estípite, Nuestra Señora de las Nieves, cuya fachada principal se encuentra constituida por una portada de dos cuerpos y dos torres lisas con campanarios de un solo cuerpo…, son algunas de las casi treinta iglesias que, con sus elegantes torres y bóvedas definen el paisaje de la ciudad de Oaxaca.

MONTE ALBÁN

SITUADA A DIEZ KILÓMETROS de la ciudad de Oaxaca, Monte Albán fue la antigua capital de los zapotecas y una de las primeras y más populosas ciudades de Mesoamérica. Levantada en el centro del valle de Oaxaca, Monte Albán ejerció un control político, económico e ideológico sobre toda la región.

Los arqueólogos han dividido las diferentes ocupaciones de este lugar en tres grandes períodos: Monte Albán I, Monte Albán II y Monte Albán III. El sitio elegido para su emplazamiento, un espolón rocoso en la confluencia de dos ríos, alejado de las fuentes de agua y de las tierras de cultivo, parece más representativo que práctico.

Desde sus orígenes, la ciudad propiamente dicha con sus viviendas y talleres se extendía sobre las faldas de la colina, dejando en la meseta superior aplanada artificialmente los edificios públicos, situados alrededor de una plaza central denominada la Gran Plaza, que mide aproximadamente 300 metros de largo por 200 metros de ancho. La disposición de las construcciones es de norte a sur. Se sabe que en este amplio espacio se concentraban los comerciantes que aquí acudían para realizar sus transacciones.

El período Monte Albán I va desde el año 650 al 200 antes de Cristo, época en la que tuvo lugar la culminación y decadencia del mundo olmeca. A esta primera etapa corres-

Edificio del Vértice Geodésico, situado en el lado este de la Plataforma Norte. A la izquierda, detalle de un bajorrelieve de clara influencia olmeca en el templo de los Danzantes.

ponde el monumento más antiguo del complejo arqueológico, el templo de los Danzantes, decorado con bajorrelieves de clara influencia olmeca. Esta edificación de tres cuerpos posee lápidas que muestran figuras desnudas con los ojos cerrados, la boca entreabierta y cuerdas atadas al cuello, hombres sacrificados con miembros mutilados, asociados a jeroglíficos, e inscripciones que muestran que ya en aquella época se contaba con un sistema de escritura y numeración, así como con un calendario.

El período conocido como Monte Albán II se extiende desde el año 200 antes de Cristo hasta el inicio de la era cristiana. En esa época la ciudad contaba con 17.000 habitantes y su templo principal poseía más de 300 estelas. En sus construcciones quedan pocos rastros del mundo olmeca. Uno de los edificios más singulares de esta época es el conocido como Montículo J, situado en el centro de la Plaza Mayor. Debido a la orientación de sus paredes y de sus pasillos se cree que fue utilizado como observatorio astronómico. Cuenta con dos cuerpos y se asemeja a una punta de flecha con sus muros recubiertos de lápidas con inscripciones y figuras de danzantes.

La fase de Monte Albán III abarca desde el año 1 hasta el año 700 de nuestra era, período que representa el momento de máximo esplendor de la ciudad. Se puede hablar de una cultura zapoteca con personalidad propia. La población alcanza los 24.000 habitantes y se extiende sobre las colinas circundantes. La mayor parte de los edificios que hoy se pueden observar en el yacimiento arqueológico pertenecen a esta última fase, como el Juego de Pelota que se encuentra en el lado oeste del com-

Arriba, altar situado en el centro de la Gran Plaza, entre el edificio P o Pirámide y los edificios G, H, e I. A la izquierda, detalle de una de las losas encontradas en el templo de los Danzantes.

plejo arqueológico, lo mismo que el Palacio, que posee una serie de habitaciones en torno a un patio central.

Entre las construcciones más sobresalientes se encuentran la Plataforma Norte y la Plataforma Sur. La parte frontal de la Plataforma Norte está constituida por una amplia escalinata. Existen vestigios en la parte superior del monumento de doce columnas que sostenían el techo. A su alrededor se ven cuatro pequeños templos rectangulares. El centro lo ocupa un

Vista del conjunto de Monte Albán desde la Plataforma Norte. En primer término, a la derecha, el patio hundido con un adoratorio en el centro. Abajo, dibujos olmecas sobre piedras en el templo de los Danzantes, el edificio más antiguo del complejo de Monte Albán.

LA PATRONA DE OAXACA

EN EL LUGAR DONDE HOY SE ENCUENTRA la basílica de la Soledad, en las avenidas de la Independencia y Galeana, los aztecas rendían culto a una piedra de la que brotaba agua permanentemente. En este mismo lugar los españoles erigieron una ermita dedicada a san Sebastián. Cuenta la leyenda que alrededor del año 1617, en una fría noche invernal, llegó a la ermita un arriero procedente de Veracruz. Al pasar delante de la puerta, una de sus recuas cayó al suelo agotada por la pesada carga que llevaba. Por más esfuerzos que hizo el arriero no pudo levantarla y cuando, tras avisar a las autoridades para evitar cualquier castigo, la liberaron de la caja que transportaba, la mula pudo levantarse, aunque falleció al momento. Cuando abrieron la caja encontraron en ella un Cristo y una Virgen de la que sólo quedaban la cabeza y las manos, con una inscripción que rezaba así: "Nuestra Señora de la Soledad al pie de la cruz". Ante este suceso, que se consideró milagroso, el obispo Bartolomé Bohórquez ordenó que en ese lugar se construyera un santuario dedicado a la Virgen de la Soledad, que acabaría siendo considerada la patrona de la ciudad.

La construcción del templo se inició en el año 1682 con la autorización del Virrey don Tomás Aquino Manrique de la Cerda, y quedó consagrado en 1687. Declarada basílica en 1959, su fachada es uno de los ejemplos más sobresalientes del barroco de la época virreinal. Posee forma de biombo con tres cuerpos, siete calles y un remate. En el segundo cuerpo se encuentra la Virgen de la Soledad al pie de la cruz, como lo expresaba la leyenda. Dos sencillas portadas de acceso, una al sur y la otra al este, se abren al Jardín de Sócrates y a la Plaza de la Danza, un espacio abierto en el que habitualmente se celebran actividades folclóricas.

La planta del templo es en forma de cruz latina. En la entrada, a la derecha, se conserva la piedra sagrada. Una imagen de la Virgen de la Soledad, patrona de Oaxaca, preside la iglesia, a la que acuden a rezar diariamente decenas de creyentes. Todos los años, el 18 de diciembre se celebra la fiesta de la Virgen de la Soledad.

patio hundido con un adoratorio en el medio. La Plataforma Sur se asemeja a la Plataforma Norte, aunque sólo ha sido explorada parcialmente. Constituye una soberbia atalaya desde la que se domina todo el yacimiento arqueológico y sus alrededores. En el lado oeste se encuentra el Sistema IV, un templo-patio-adoratorio que fue una de las innovaciones arquitectónicas de los zapotecas. Más al sur se sitúa el Sistema M,

En la Plataforma Norte, en su parte frontal, detrás de la amplia escalinata se conservan los fustes de doce columnas que sostenían el techo. A la izquierda, otra de las figuras humanas del templo de los Danzantes.

idéntico al anterior. En el centro de su plaza se alzan unidos los edificios G, H e I. Frente a la escalera principal de este conjunto existe un templete.

Todas estas estructuras se completan con numerosas estelas con escritura jeroglífica ubicadas fuera de los edificios principales. Se han descubierto más de 170 tumbas, muchas de ellas decoradas con bajorrelieves y pinturas murales, sobre

cuya entrada se colocaban urnas de cerámica destinadas probablemente a contener alimentos para el viaje al más allá. En su interior se han descubierto numerosos objetos en oro, plata, turquesa y jade. La denominada Tumba 7 fue explorada por el arqueólogo mexicano Dr. Alfonso Caso, que encontró en la recámara y cámara mortuorias, con cubierta de bóveda angular, un auténtico tesoro intacto que hoy se expone en el Museo Regional de Oaxaca. A partir del siglo VIII de nuestra era se hace patente la decadencia de Monte Albán con la pérdida

El Montículo J, también conocido como observatorio astronómico, pertenece al período de Monte Albán II. Se encuentra situado en la parte central de la Plaza Mayor, cerca de la Plataforma Sur.

Este monolito aislado pertenece al conjunto denominado Vértice Geodésico, situado en la parte posterior de la Plataforma Norte, entre el Edificio E y el Edificio D.

paulatina de población y el abandono de la zona monumental. Sin embargo, no se han descubierto huellas de violencia que puedan justificar esta decadencia y el dominio de la región, a partir del año 1000, de los mixtecos, un aguerrido pueblo de las montañas con una cultura menos desarrollada que la de los zapotecas.

A la entrada de Monte Albán se encuentra el Museo del sitio con dos salas de exposición permanentes, en las que se conserva una notable colección de cerámica y escultura zapotecas.

Textos: *Editorial San Marcos*
Fotografías: *Ignasi Rovira y Candy Lopesino-Juan Hidalgo/SAN MARCOS*

Foto portada: *Casa de Cortés*
Foto contraportada: *Calle Macedonio Alcalá*

Sitios del Patrimonio Mundial en México
Tijuana
Mexicali
Ensenada
Golfo de California
Nogales
Zona arqueológica de Paquimé, Casas Grandes
Ciudad Juarez
Santuario de Ballenas de El Vizcaíno
Isla Cedros
Islas del Mar de Cortés
Hermosillo
Pinturas rupestres de la Sierra de San Francisco
San Ignacio
Ciudad Obregón
Chihuahua
Río Conchas
Loreto
Baja California
MÉXICO
Gómez Palacio
Culiacán
La Paz
OCÉANO PACÍFICO
Durango
Mazatlán
Centro histórico de Zacatecas
Aguas Calientes
Tepic
Hospicio Cabañas, Guadalajara
Guadalajara
León
Tecomán
AMÉRICA